Chers amis
bienvenue dan

Geronimo Stilton

Au revoir, chers amis rongeurs, et à bientôt
pour de nouvelles aventures.
Des aventures au poil, parole de Stilton, de..

Geronimo Stilton

Île des Souris

1. Grand Lac de glace
2. Pic de la Fourrure gelée
3. Pic du Tienvoiladéglaçons
4. Pic du Chteracontpacequilfaifroid
5. Sourikistan
6. Transourisie
7. Pic du Vampire
8. Volcan Souricifer
9. Lac de Soufre
10. Col du Chat Las
11. Pic du Putois
12. Forêt-Obscure
13. Vallée des Vampires vaniteux
14. Pic du Frisson
15. Col de la Ligne d'Ombre
16. Castel Radin
17. Parc national pour la défense de la nature
18. Las Ratayas Marinas
19. Forêt des Fossiles
20. Lac Lac
21. Lac Lac Lac
22. Lac Laclaclac
23. Roc Beaufort
24. Château de Moustimiaou
25. Vallée des Séquoias géants
26. Fontaine de Fondue
27. Marais sulfureux
28. Geyser
29. Vallée des Rats
30. Vallée Radégoûtante
31. Marais des Moustiques
32. Castel Comté
33. Désert du Souhara
34. Oasis du Chameau crachoteur
35. Pointe Cabochon
36. Jungle-Noire
37. Rio Mosquito

Sourisia, la ville des Souris

1. Zone industrielle de Sourisia
2. Usine de fromages
3. Aéroport
4. Télévision et radio
5. Marché aux fromages
6. Marché aux poissons
7. Hôtel de ville
8. Château de Snobinailles
9. Sept collines de Sourisia
10. Gare
11. Centre commercial
12. Cinéma
13. Gymnase
14. Salle de concerts
15. Place de la Pierre-qui-Chante
16. Théâtre Tortillon
17. Grand Hôtel
18. Hôpital
19. Jardin botanique
20. Bazar des Puces qui boitent
21. Parking
22. Musée d'Art moderne
23. Université et bibliothèque
24. La Gazette du rat
25. L'Écho du rongeur
26. Maison de Traquenard
27. Quartier de la mode
28. Restaurant du Fromage d'Or
29. Centre pour la Protection de la mer et de l'environnement
30. Capitainerie du port
31. Stade
32. Terrain de golf
33. Piscine
34. Tennis
35. Parc d'attractions
36. Maison de Geronimo Stilton
37. Quartier des antiquaires
38. Librairie
39. Chantiers navals
40. Maison de Téa
41. Port
42. Phare
43. Statue de la Liberté

L'Écho du rongeur
1. Entrée
2. Imprimerie (où l'on imprime les livres et le journal)
3. Administration
4. Rédaction (où travaillent les rédacteurs, les maquettistes et les illustrateurs)
5. Bureau de Geronimo Stilton
6. Piste d'atterrissage pour hélicoptère

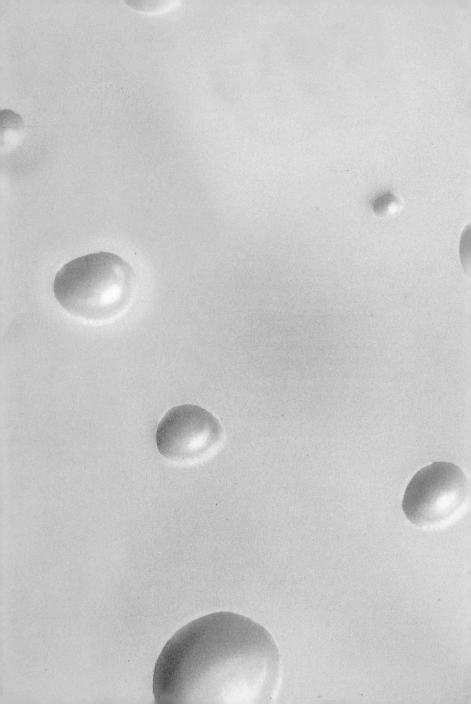

Geronimo Stilton

DANS LA MÊME COLLECTION

TABLE DES MATIÈRES

À bord d'un paquebot de croisière, des passagers nagent dans la piscine.
Soudain, ils voient le commandant s'approcher et crier :
– Voilà, bravo, continuez à nager... *le bateau est en train de couler !*

Un bon nageur dit à un débutant :
– Moi, je préfère la brasse papillon ? Et toi ?
– La nage de la moule.
– C'est comment, ça ?!
– *Attaché aux rochers !*

Un type va voir son médecin :
– Docteur, docteur, docteuuur ! Depuis que j'ai vu le dernier Grand Prix de formule un, je suis convaincu d'être une voiture de course !
Le docteur :
– Hummm, voyons cela. Ouvrez la bouche et dites : « VROUM, VROUMM, VROUMMM ! »

Une jeune skieuse arrive au remonte-pente et passe devant tous ceux qui font la queue.
Un garçon proteste :
– Mademoiselle, faites la queue !
Elle :
– Pourquoi ? *Vous n'aimez pas les cheveux dénoués ?*

BLAGUES

Lors de la cérémonie d'ouverture des jeux Olympiques, un orateur se présente devant la foule immense pour prononcer le discours officiel. Il commence en disant :

– O... O... O... O... O...

Son assistant l'interrompt en le tirant par la veste et lui murmure :

– Monsieur, il n'est pas nécessaire de lire *les anneaux olympiques* !

Un lanceur de javelot à un ami :

– Tu te rends compte, une fois, en lançant le javelot à plus de 50 mètres, j'ai eu une médaille !

– Ça alors, *c'est ce qui s'appelle savoir viser* !

Un athlète inconnu bat le record du monde au sprint en 7 secondes tout rond.

Il est entouré par le public qui le complimente, mais quelqu'un, à côté de lui, l'entend murmurer :

– Si j'attrape celui qui m'a glissé *une guêpe dans le maillot* !

6 **PARTICIPEZ À QUELQUES COMPÉTITIONS** : si cela vous plaît, continuez ; si cela ne vous plaît pas, vous pourrez abandonner et, peut-être, réessayer plus tard. Ce qu'il y a de beau dans le karaté, c'est que ce n'est pas seulement un sport. On le pratique pour soi-même !

7 Quand vous partez pour une compétition (surtout si c'est à l'étranger), **EMPORTEZ TOUJOURS DE LA NOURRITURE** (crackers, biscuits, jus de fruit...) : on ne sait jamais quel type d'alimentation on va trouver !

8 Avant l'entraînement, **MANGEZ UN PLAT DE PÂTES** : cela vous donnera le « carburant » nécessaire pour « reconstruire » les muscles !

9 **FAITES TOUJOURS DE LA GYMNASTIQUE** avant et après chaque entraînement : avant, cela vous aidera à échauffer vos muscles (et donc à ne pas vous faire mal) ; après, cela vous sera utile pour les étirer et les maintenir élastiques.

10 **IL FAUT BEAUCOUP DE SÉRIEUX**, mais n'oubliez pas que le karaté est un amusement, comme tous les sports !

TOURNEZ LA PAGE, ET VOUS DÉCOUVRIREZ QUELQUES BLAGUES SUR LE SPORT !

Les conseils de MINI TAO

COMMENT DEVENIR UN CHAMPION !

1 TÂCHEZ DE TOUJOURS SUIVRE LES RÈGLES DU DOJO KUN, dans votre salle d'entraînement comme au-dehors. Vous vous sentirez des personnes meilleures !

2 ENTRAÎNEZ-VOUS AVEC PERSÉVÉRANCE. Même quand vous n'avez pas envie d'aller au dojo, surmontez votre paresse et allez-y ! Vous verrez que, à la fin, vous serez content !

3 SUIVEZ TOUJOURS LES CONSEILS DE VOTRE MAÎTRE. Souvenez-vous qu'il est là pour vous apprendre les techniques.

4 NE VOUS DÉCOURAGEZ JAMAIS. Le karaté est une discipline qui exige beaucoup de temps et de patience !

5 SI VOUS AVEZ DES PROBLÈMES, PARLEZ-EN AVEC VOTRE MAÎTRE. Il pourra certainement vous donner des conseils utiles !

CURIOSITÉS HISTORIQUES

Le lieu. Le karaté est né sur les îles Ryukyu, archipel qui s'étend entre le Japon méridional et l'île de Taïwan. La plus grande de ces îles est Okinawa.

Les origines. La naissance du karaté est liée à une loi du roi Sho Shin, qui, au milieu du XVe siècle, a interdit de porter des armes. Pour se défendre des hors-la-loi, les nobles ont développé un style de combat à main nue (*kara*, « vide » ; *te*, « main »).

La première école. Elle fut fondée par Sokon Matsumura. Elle proposait trois manières de combattre : la technique à main nue des habitants d'Okinawa ; l'art japonais du sabre ; l'art chinois du combat.

Karaté moderne. En 1901, maître Anko Itosu introduit l'enseignement du karaté dans les écoles, transformant ainsi une pratique individuelle en pratique de groupe.

Gichin Funakoshi. C'est lui qui, en 1922, fut responsable de l'entrée officielle du karaté au Japon. En 1938, ses élèves fondèrent le premier dojo « Shotokan », mot qui signifie « la maison dans le bruissement de la pinède ». C'est là que naquit l'un des styles de karaté les plus répandus du monde.

Le portrait de maître Funakoshi est accroché au mur principal de nombreux dojos.

Maître

Celui qui enseigne. Il mérite un respect absolu de la part de l'élève.

Chiffres

Au dojo, on compte souvent en japonais. Apprends, toi aussi !

1 - ICHI		**6** - ROKU
2 - NI		**7** - SHICHI
3 - SAN		**8** - HACHI
4 - SHI		**9** - KU
5 - GO		**10** - JU

Oss !

Salut entre les pratiquan du karaté.

Propreté

Le karaté se pratique pieds nus. Il est fondamental de toujours se laver les pieds avant d'entrer sur le tatami, par respect pour les autres.

Respect

C'est la première chose que doit apprendre l'élève !
Respect envers soi-même, envers l'adversaire que l'on a face à soi (que l'on salue toujours), envers le maître.

Uke (parade)

Mouvement qui permet d'esquiver une attaque au visage ou au corps.

Tsuki (poing)

Une des nombreuses techniques d'attaque à main ferm
Pour former le poing, il faut replier les quatre doigts cont
la paume et serrer fortement le pouce sur l'ind
et sur le majeur. Le poignet doit rester dro
dans la continuité du bras. On peut aussi pratiqu
des attaques à main ouver

Karaté («main nue»)

Le karaté est une technique qui permet de se défendre à main nue, sans armes. Mais ce n'est pas simplement un art du combat. Son objectif principal, en effet, est de former le corps en même temps que l'esprit. Ceux qui étudient le karaté sont invités à réfléchir à ces deux maximes fondamentales : « L'art du poing est celui d'un sage » et « Le karaté ne commence jamais par une attaque ».

Cours

Durant chaque cours, on étudie les trois piliers : *kihon* (exercices fondamentaux), *kata* (ensembles de mouvements codifiés qui s'exécutent selon un schéma de directions préétablies et qui représentent un combat contre plusieurs adversaires) et *kumite* (combat contre un adversaire). Ce dernier signifie littéralement « rencontre » (*kumi*) de « mains » (*te*), et doit être compris comme une rencontre plutôt que comme un affrontement, dans laquelle chaque pratiquant profite de l'adversaire pour affronter ses propres limites et ses propres peurs !

VOCABULAIRE DU KARATÉ

Élève

Celui qui commence et continue la pratique du karaté sous la direction d'un maître.

Ceinture

Sa couleur représente le niveau de préparation de celui qui la porte : blanche, jaune, orange, verte, bleue, marron, noir.

Après la ceinture noire commence une autre série de degrés, les « dan ».

Dojo
(salle d'entraînement

Lieu où l'on pratique karaté.

Le dojo n'est pas seul ment une salle d'entra nement, mais aussi l'e droit où l'on afferm son esprit et son corp

Geri (coup de pied)

Au karaté, on peut faire des coups de pied frontaux, circulaires, latéraux ou arrière.

COUP DE PIED FRONTAL

COUP DE PIED LATÉRAL

Karategi
(veste d'entraînement

Son apparition remon à 1921, à l'occasion la première démonstr tion publique de karat à Tokyo. Avant, on s'e traînait avec ses vêt ments de tous les jour ou bien torse nu, e pantalon court.

PETIT

MANUEL DE KARATÉ

De **MINI TAO**

À maître Fugazza, qui reste un maître, sur les tatamis comme dans la vie.
À Cristina et Simona, deux merveilleuses camarades d' aventure,
deux amies formidables. Et qui plus est : deux sœurs !

Mini Tao

Texte de Geronimo Stilton
Basé sur une idée originale d' Elisabetta Dami
Coordination éditoriale de Mini Tao
Coordination artistique de Gògo Gò
Couverture de Giuseppe Ferrario
Illustrations de Federico Brusco *(dessin),* Valentina Grassini
et Chiara Sacchi *(couleur)*
Graphisme de Michela Battaglin
Traduction de Titi Plumederat

Les noms, personnages et intrigues de Geronimo Stilton sont déposés. Geronimo Stilton est une marque commerciale, licence exclusive des Éditions Piemme S.p.A. Tous droits réservés.
Le droit moral de l'auteur est inaliénable.

www.geronimostilton.com

Pour l'édition originale :
© 2005 Edizioni Piemme S.p.A. – Via Galeotto del Carretto, 10 – 15033 Casale Monferrato (AL) – Italie –
www.edizpiemme.it – info@edizpiemme.it, sous le titre *Te lo do io il karate !*
International rights © Atlantyca S.p.A. – Via Leopardi, 8 – 20123 Milan, Italie – www.atlantyca.com –
contact : foreignrights@atlantyca.it
Pour l'édition française :
© 2007 Albin Michel Jeunesse – 22, rue Huyghens – 75014 Paris – www.albin-michel.fr
Loi 49 956 du 16 juillet 1949 sur les publications destinées à la jeunesse
Dépôt légal : second semestre 2007
N° d'édition : 17094/7
ISBN-13 : 978 2 226 17414 7
Imprimé en France par l'imprimerie Clerc à Saint-Amand-Montrond en janvier 2010

Stilton est le nom d'un célèbre fromage anglais. C'est une marque déposée de Stilton Cheese Maker's Association. Pour plus d'information, vous pouvez consulter le site www.stiltoncheese.com

Geronimo Stilton

LE KARATÉ, C'EST PAS POUR LES RATÉS !

ALBIN MICHEL JEUNESSE

GERONIMO STILTON
SOURIS INTELLECTUELLE,
DIRECTEUR DE *L'ÉCHO DU RONGEUR*

TÉA STILTON
SPORTIVE ET DYNAMIQUE,
ENVOYÉE SPÉCIALE DE *L'ÉCHO DU RONGEUR*

TRAQUENARD STILTON
INSUPPORTABLE ET FARCEUR,
COUSIN DE GERONIMO

BENJAMIN STILTON
TENDRE ET AFFECTUEUX,
NEVEU DE GERONIMO

Sssalut, Gggeronimo !!!

C'était une *tranquille*, une *très tranquille* matinée de mai. On n'aurait pas pu en imaginer de plus *tranquille*. Je me levai *tranquillement* et allai prendre, en toute *tranquillité*, un bain aux sels de parmesan.

Il n'y a rien de plus *tranquillisant* ! *Oh, excusez-moi, quel étourdi !* Je ne me suis pas présenté. Mon nom est Stilton, *Geronimo Stilton*. Je dirige *l'Écho du rongeur,*

le plus célèbre journal de l'île des Souris.

Je disais donc... J'étais dans mon bain, profitant de ces merveilleuses bulles au fromage, quand le téléphone **SONNA**. Juste au moment où j'allais me faire un shampoing !

Mais n'était-ce pas une journée tranquille ???

Je voulus sortir de la baignoire, mais je ne voyais rien, parce que j'avais du savon dans les yeux ! Et le téléphone continuait de sonner !

JE POSAI
LA PATTE...

... DÉRAPAI SUR LE REBORD
DE LA BAIGNOIRE...

Je posai la patte sur le rebord de la baignoire, mais dérapai et partis dans un long **Vol plané**. J'atterris la tête la première dans le lavabo. Puis je rebondis et allai me cabosser les moustaches contre la porte.

Mais n'était-ce pas une journée tranquille ???

Enfin, je parvins à atteindre le téléphone.

– Allô ? Ici Stilton. *Geronimo Stilton !* Ou en tout cas... ce qu'il en reste !

– Sssalut, Gggeronimo !!! Je sssuis Ccchacal ! Tu es prêt ? Hein ? Tu es prêt ?

... ATTERRIS LA TÊTE LA PREMIÈRE DANS LE LAVABO...

... ME CABOSSAI LES MOUSTACHES CONTRE LA PORTE !

Oh non ! **CHACAL !** Vous vous souvenez de lui ?

Il aime *tous* (mais vraiment *tous*) les sports *extrêmes* (mais vraiment *extrêmes*) !*

Mais n'était-ce pas une journée tranquille ???

– Euh… vraiment… oui, c'est-à-dire non… enfin… **PRÊT POUR QUOI FAIRE ?**

GGGERONIMO ?

Il ricana :

– Ha haa haaa ! Alors Mini Tao ne t'a pas prévenu ?

Je balbutiai :

– MINI TAO devait me dire quelque chose ?

Il poursuivit à toute vitesse :

– C'est bête ! C'est très bête ! C'est très très bête ! C'est très très très bête ! *Alors* tu n'es pas en forme ! *Alors* tu ne t'es pas entraîné ! *Alors* tu n'es pas tonique ! Tant pis pour toi, Cancoyote !

OUI… C'EST MOI…

---

* Si vous voulez en savoir plus, vous retrouverez Chacal dans *Comment devenir une super souris en quatre jours et demi.*

FICHE PERSONNELLE

Nom : Mini Tao

Surnom : M.T.

Qui est-ce : elle a beau travailler à la rédaction de *l'Écho du rongeur* en tant que coordinatrice éditoriale, elle est championne du monde de karaté !
Elle veut me convaincre de publier un manuel de karaté !

Signes particuliers : c'est la cousine de Chacal ! Celui-ci est peut-être un dur à cuire, il devient tout tendre quand il parle de sa Mini Tao !

Sports pratiqués : karaté et triathlon !

Obsessions : de temps en temps, elle me pince pour m'encourager et m'aider à vaincre la peur !

Ce en quoi elle croit : le sourire, la sincérité et la force de la volonté !

Sa passion : tout faire avec... passion !

Son slogan : ris, ris, ris !!!

Son secret : prendre la vie avec gaieté ! Elle aime raconter des blagues pour apporter de la bonne humeur !

 Cet idéogramme signifie MINI TAO.

Je passe te prendre demain matin, à cinq heures pile, en bas de chez toi. **CHACAL** s'occupe de tout. Tu vas voir, ça va être une sacrée aventure... *Ha, haa, haaa !*
Je poussai un cri désespéré :
– Chacal ! CHACAAAL ! Je ne peux pas partir pour une nouvelle aventure ! Je ne peux pas... et je ne veux pas ! Chacaaal !
Mais il avait déjà raccroché.

FICHU ! J'ÉTAIS UNE SOURIS FICHUE !

Chacal et Mini Tao m'entraînaient dans une nouvelle aventure ? *Scouiiit !*
Mais est-ce que ça ne devait pas être une journée tranquille ???

UNE NUIT DE CAUCHEMAR !

Je passai une nuit **BLANCHE**.

J'étais terrorisé par ce qui m'attendait le lendemain matin. Qu'est-ce qu'avait organisé Chacal ?

Très inquiet, je réfléchis, réfléchis, réfléchis, réfléchis, réfléchis, réfléchis, réfléchis…

1 *Peut-être* voulait-il m'emmener dans une expédition à **BORNÉO**, où le taux d'humidité avoisine les 99,9999999 % (*mais je souffre de rhumatismes !*).

Peut-être voulait-il m'emmener suivre un stage de survie au **PÔLE NORD**, par 50 degrés EN DESSONS DE ZÉRO **2** (*mais je souffre d'engelures !*).

➤ **❸** *Peut-être* voulait-il m'emmener faire un safari photographique dans le désert du **SAHARA** et ses **50 DEGRÉS** (*mais je souffre d'hypotension !*).

J'étais tellement terrifié que je n'arrivais pas à m'endormir. Aussi, je décidai de me lever pour aller me faire une tasse de CAMOMILLE.

J'en bus une, mais il ne se passa rien. J'en pris une autre : toujours rien ! Alors je mis le paquet : trois, quatre, cinq tasses ! Je commençai à sentir un léger engourdissement dans les pattes.

Enfin, à la douzième tasse, je *tombai* endormi. *Ronf !*

① ② ③ ④ ⑤ ⑥ ⑦ ⑧ ⑨ ⑩ ⑪ ⑫

Hélas, il était 4 h 45, et au bout de quinze minutes, le réveil SONNA !

Hagard, je me traînai jusqu'en bas de chez moi.

Devant ma porte, au 8, rue du Faubourg-du-Rat, Chacal m'attendait...

J'AI OUBLIÉ DE FAIRE UNE CHOSE...

– Salut, **Cancoyote** ! Alors, tu es prêt ?
Hein ? Tu es prêt ? Non, hein ? J'ai vu ça tout
de suite ! Tu ne parles pas, parce que *tu t'en
veux* de ne pas t'être entraîné ! Mais ne t'inquiète pas, Chacal s'occupe de tout !
Regarde, je t'ai apporté un programme
d'entraînement ! J'espère que tu es reconnaissant, au moins ? À partir d'aujourd'hui, je
suis ton P T C !
– PTC ?
– Évidemment ! P e r s o n a l   T r a i n e r
d e   C a n c o y o t e !
Je me sentais vraiment mal ! J'étais tellement
fatigué que je n'arrivais même pas à parler et
je me laissai entraîner dans sa Jeep. Je n'avais

PROGRAMME D'ENTRAÎNEMENT

HALTÈRES DE 50 KILOS

Les soulever 500 fois au-dessus de la tête

TRACTIONS

Se soulever 1 000 fois sur la barre

SPINNING

8 heures d'entraîne-ment par jour

CORDE À SAUTER

30 000 sauts par jour

HALTÈRES DE 200 KILOS

Les soulever 50 fois

COURSE

30 km par jour

POMPES

Trois séries de 1 500

... ET S'IL TE PLAÎT...
NE TRICHE PAS !!!
CHACAL !

même pas la **FORCE** de demander où nous allions.

Chacal poursuivit :

– Dis-moi la vérité… Tu es tellement content de partir que tu ne trouves pas les mots pour me remercier.

Chacal démarra, mais au bout de quelques mètres, il FREINA BRUSQUEMENT !

– Que… que… que… que se passe-t-il ? balbutiai-je.

– Geronimooooo !!! Il faut qu'on retourne à mon bureau. J'ai oublié de faire une chose **TRÈS IM-POR-TAN-TE !!!**

– Qu'as-tu oublié ? Tu dois vérifier si tu as bien fermé **l'eau** ?

– Non, c'est une chose plus importante !

– Alors si tu as bien fermé le **gaz** ?

… eau ?

… gaz ?

… antivol ?

– Non, non, plus important !
– Ah, j'ai compris ! Tu dois brancher l'**ALARME ANTIVOL** !
– Non, non, non… **BEAUCOUP** plus important !
– Mais enfin, que dois-tu faire ?
– J'ai oublié de faire ma série de 10 x 10. Tu sais, pour être tonique, il faut être **MÉTHODIQUE**, Cancoyote ! *Ne jamais se relâcher, même pour un seul jour !*
Je n'en croyais pas mes oreilles ! À la fin, nous retournâmes vraiment dans son bureau et Chacal fit toute une série de

Je découvris ainsi qu'un « 1⊙ X 1⊙ », c'est 10 fois 10 élévations d'un haltère de 100 kilos !!!

CHACAL,
C'EST LA JEEP, MINI TAO,
LE TURBO !

Après l'entraînement de Chacal, nous allâmes prendre MINI TAO. Elle avait une tenue sportive et portait un sac à dos plus haut qu'elle.

Comment une petite souris aussi *mince* pouvait-elle être aussi **forte** ?

Chacal me fit un clin d'œil et s'exclama :

– Ha, ha, Cancoyote, ma cousine est une force de la nature, pas vrai ?! C'était encore un bébé que nous avions déjà cette devise :

MINI TAO

CHACAL, C'EST LA JEEP, MINI TAO, LE TURBO !

JE FRISSONNAI ! JE FRISSONNAI !

– Ça rend bien l'idée, non ? Ça rend bien l'idée ? Nous sommes forts, oui ou non ?! Hein ?!

Quand Mini Tao monta en voiture, ils échangèrent un regard complice. Puis elle fit O.K. de la patte et Chacal acquiesça.

POURQUOI ? Qu'est-ce qu'ils manigançaient ?

J'avais les moustaches qui se tortillaient de nervosité… Nous arrivâmes à l'aéroport. Mais Chacal et Mini Tao allèrent tout seuls au *check-in* (l'enregistrement des billets d'avion), en complotant.

MAIS POURQUOI ??

Puis, avant de rejoindre la zone d'embarquement, ils me bandèrent les yeux.

MAIS ENFIN, POURQUOI ???

Finalement, quand nous fûmes montés dans l'avion, Chacal m'attacha la ceinture de sécurité et retira mon BANDEAU.

Chacal et Mini Tao ne cessaient de comploter...

– ƐT TOƆ ! C'est fait ! Et maintenant, Cancoyote, tu ne peux plus descendre ! Mais tu ne dois pas t'inquiéter : comme d'habitude, c'est ton vieux Chacalounet qui s'occupe de tout ! Ne suis-je pas ton P T C ?

Cependant, Chacal et Mini Tao ne cessaient de comploter.

Tandis que j'essayai (en vain) de me détendre, je parvins à intercepter quelques mots.

– *PSSS… PSSS… organisé… PSSS… entraîne-ments ?*

ENTRAÎNEMENTS !

– *PSSS… et tu l'as inscrit ?*

INSCRIT ?! OÙ ÇA ?

– *Mais surtout… d'après toi… il y arrivera ?*

À QUOI FAIRE ?

Où m'emmenaient-ils ?

Qu'est-ce que je faisais là, *moi ?*

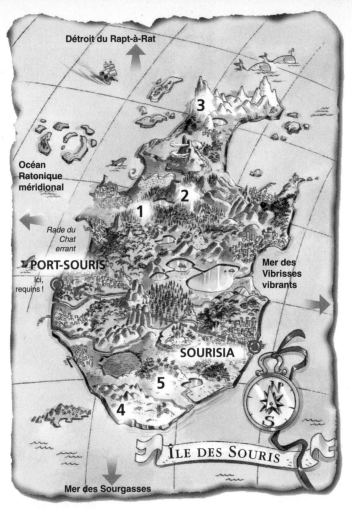

Détroit du Rapt-à-Rat

3

Océan
Ratonique
méridional

2

1

Rade du
Chat
errant

PORT-SOURIS

Ici,
requins !

Mer des
Vibrisses
vibrants

SOURISIA

5

4

ÎLE DES SOURIS

Mer des Sourgasses

1. Lac de Soufre 2. Volcan Souricifer 3. Pic de la Fourrure gelée 4. Désert du Souhara 5. Rio Mosquito.

La ville de Port-Souris est établie sur la côte ouest de l'île des Souris. Elle s'étend face à la rade du Chat errant, célèbre pour les énormes et voraces requins qui y pullulent.

------ **VOYAGE AÉRIEN DE SOURISIA À PORT-SOURIS**

IL FALLAIT BIEN QUE JE FASSE QUELQUE CHOSE !

Enfin, après dix heures de voyage, *NOUS ATTERRÎMES.*

– Allez, **Cancoyote** ! On est arrivés ! Tu n'as pas faim ? Hein ? Moi, j'ai une faim CANIIINE !!! Si on allait manger une **PIZZA GÉANTE**, hein ?

Je pensais à tout, sauf à manger. Où étais-je ? Où m'avait-on emmené ? Un sentiment d'**APPRÉHENSION** commença à monter de mon estomac. Puis l'appréhension se transforma en **INQUIÉTUDE**. Puis l'inquiétude devint de l'**ANGOISSE**. Enfin, ce fut au tour de la

PIZZA GÉANTE

PANIIIIIIQUE!!!!

LES DIX STADES

1 Faux calme

2 Appréhension

3 Préoccupation

4 Inquiétude

5 Anxiété

Je n'arrivais plus à me dominer : j'étais comme CLOUÉ au fauteuil de l'avion et je n'arrivais plus à me lever. Chacal et Mini Tao ne savaient pas quoi faire pour me **convaincre**.

– Allez, Geronimo, tu vas voir, il ne t'arrivera rien ! me dit Mini Tao de la voix la plus calme possible.

– **Cancoyote**, je ne me serais jamais attendu à ça de ta part ! Tout le monde te regarde ! Où as-tu mis ta fierté, hein ?

– À SOURISIA !!! hurlai-je.

DE LA PANIQUE

Tout le monde me regardait. Moi, *Geronimo Stilton*, une souris respectée, je passais pour un nigaud ! Mais qu'est-ce que je pouvais y faire ?

C'était plus fort que moi !

Avez-vous jamais éprouvé un sentiment de panique ? Croyez-moi, c'est une sensation horrible ! Vous n'arrivez plus à vous contrôler, vous êtes écrasé par la peur de l'inconnu et…

Piccc !!!

PANIQUE ! — 10

Alarme ! — 9

Rire nerveux — 8

Anxiété avec frissons — 6

Angoisse — 7

Piccccc !!!

Soudain, je sentis une douleur à la joue.

– Qu-qu-qu'est-ce que c'est ?

– Pardonne-moi, Geronimo, mais il fallait bien que je fasse quelque chose pour te secouer.

Je t'ai simplement pincé ! Ça ne va pas mieux, maintenant ?

– O-o-oui, merci, Mini Tao ! J-j-je vais beaucoup mieux…

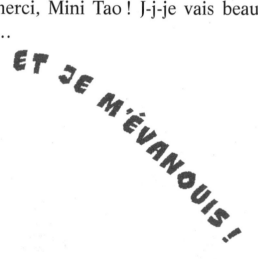

ET JE M'ÉVANOUIS !

CHAMPIONNAT DU MONDE DE KARATÉ ?!?

– Geronimo ! Geronimo ! Tu te sens bien ?
J'entendais la voix de Mini Tao comme si elle
était très très très *lointaine*...
– Où-où-où suis-je ?
– Tu es à Port-Souris. C'est Chacal et moi qui
t'avons emmené là.
Je me retournai et vis d'abord Mini Tao,
puis Chacal, qui me fit O.K. de la
patte. Je répondis de la même façon, avec
les yeux qui LOUCHAIENT un peu et
un sourire de nigaud.
Au bout d'un moment, je compris ce que venait
de me dire MINI TAO.
Je me relevai d'un bond.

PATTE DE CHACAL

– Hé ho, un moment : qu'est-ce que je fais à Port-Souris ?

C'est Mini Tao qui me répondit :

– Geronimo, il est temps de tout te dire. Tu es ici pour participer au CHAMPIONNAT DU MONDE DE KARATÉ ! Tu as sept jours pour apprendre tout ce que je sais du karaté. Qu'en penses-tu ?

Je restai un instant le regard fixé sur Mini Tao, puis... JE M'ÉVANOUIS !

JE SUIS UNE SOURIS FICHUE !

Quand je revins à moi, nous venions d'arriver à l'hôtel.

– Bon, Geronimo, on se retrouve dans une demi-heure dans l'entrée pour aller au dojo. Ton **PREMIER ENTRAÎNEMENT** t'attend, dit Mini Tao.

Puis elle ouvrit son sac de voyage et en sortit un sac à dos plus petit, qu'elle me donna.

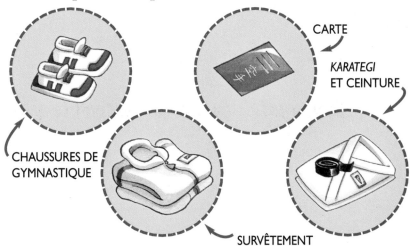

CARTE

KARATEGI
ET CEINTURE

CHAUSSURES DE
GYMNASTIQUE

SURVÊTEMENT

– Tiens, tu trouveras là-dedans tout ce dont tu auras besoin : la carte de la Fédération, un survêtement, des chaussures de gymnastique, la ceinture et le **KARATEGI** (on prononce « karatégui ». C'est le vêtement blanc avec lequel on fait du karaté).

Chacal et moi montâmes dans notre chambre.

– Alors, Cancoyote ! Tu ne dis rien ? Tu n'es pas ému ? Tu n'apprécies pas la surprise que nous t'avons faite ? Ça n'arrive quand même pas tous les jours, de participer au CHAMPIONNAT DU MONDE DE KARATÉ ! J'espère que tu es reconnaissant, au moins !

– *Comment pourrais-je t'être reconnaissant ?! Je suis une souris fichue !*

Chacal me donna une tape sur l'épaule (et faillit me faire tomber).

– **Cancoyote, ça ne te ressemble pas !**

Fais ça au moins pour Mini Tao. Allez, va te changer, et on *redescend !*

Au bout d'un moment, nous nous retrouvâmes avec Mini Tao dans l'entrée et nous *montâmes* dans un autocar qui nous conduisit au dojo pour mon PREMIER ENTRAÎNEMENT.

JE SUIS PLUTÔT UNE SOURIS INTELLECTUELLE...

Je me changeai. Tant qu'il ne s'agissait que d'enfiler le *karategi*, il n'y eut aucun problème. Mais quand il me fallut nouer la ceinture, je ne savais pas par quel bout m'y prendre. Heureusement, MINI TAO vint à mon secours et me montra comment faire.

Nous entrâmes sur le **tatami** (le tapis de sol) et commençâmes à nous échauffer les muscles avec un peu de *gymnastique.*

CHACAL était assis dans les gradins. Dès qu'il me vit entrer, il se mit à gesticuler et à hurler :

– ALLEZ, CANCOYOTE ! Rappelle-toi : il faut de la concentration ! De la MÉTHODE ! Ne jamais baisser la garde ! Donne-toi de petits ordres secs, du genre : « Je-vais-le-faire ! » Compriiiiis ??? **TU AS COMPRIS**, Cancoyoooote ? Allez, va, TU ES GRAND ! Merci d'exis-teeeeer !

Quelle honte ! Quand on est avec Chacal, on risque toujours d'être au centre de l'attention !

Mini Tao me présenta le célèbre maître *Ratoshiro Yamasuri*.

– C'est toi le nouvel athlète ? dit-il. Bizarre... Tu n'as pas une allure très **martiale**...

– ... En effet, je suis plutôt une souris *intellectuelle*...

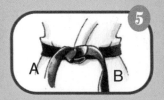

– Quelqu'un t'a dit que tu pouvais me couper la parole ? La prochaine fois, tu feras trente tours de dojo en sautillant sur une patte ! Je disais donc, avant que tu ne m'interrompes, que tu n'as pas l'air très **martial**. Mais j'ai confiance dans le jugement de **MINI TAO**. Et si elle considère que tu es prêt, alors pour moi aussi, tu l'es !

Ratoshiro Yamasuri

Nous commençâmes l'**ENTRAÎNEMENT**. Je regardais Mini Tao pour imiter ses mouvements. Elle était vraiment très forte : le moindre de ses gestes était *fluide* et **harmonieux**. On n'avait pas l'impression qu'elle effectuait des prises de karaté. On aurait dit des pas de danse !

– Geronimo, on ne porte pas de lunettes à l'entraînement ! hurla le maître.

– Vraiment, je suis une souris *intellectuelle*, et sans mes lunettes, je n'y vois rien…

– Qui t'a dit que tu pouvais me couper la parole ? La prochaine fois, tu grimperas cinquante fois à la corde lisse !

Nous poursuivîmes l'**ENTRAÎNEMENT** pendant **4** heures. Maître Yamasuri donnait les ordres et nous exécutions des séries de mouvements, à l'infini. À un moment donné, je levai une patte et demandai si je pouvais aller boire une goutte d'eau.

– Qui t'a dit que tu pouvais me couper la parole ? Et qui t'a dit qu'on pouvait boire pendant le cours ? Tu ne sais pas que c'est INTERDIT ? Pour ta punition, tu me feras cent pompes. Ou plutôt, non, deux cents, ça te musclera !!!

LA FIN, JE ME SENTAIS COMME UN RAT… MORT !

JE SENS UN POINT TRÈS CRITIQUE...

3 secondes !

EN SEULEMENT...

... 3 SECONDES...

... J'ÉTAIS PRÊT !!!

Le lendemain matin, MINI TAO vint me réveiller.

– Debout, Geronimo ! Tu as rendez-vous avec le masseur !

– *EUH ! QUOI ? MAIS IL EST 5 HEURES DU MATIN !*

– Justement ! Il est déjà très tard ! On a le petit déjeuner à 7 heures, et après, entraînement ! Alors, tu te lèves tout seul ou je te pince ?

En trois secondes, je m'étais levé, j'avais fait mon lit, je m'étais lavé et j'étais prêt.

– Bien, Geronimo… je vois que tu commences à apprendre… Maintenant, rends-toi dans la chambre 216. Le masseur t'attend ! dit Mini Tao.

J'étais un peu INQUIET. Je frappai à la porte. Un rongeur **bâti** comme une armoire à glace et tout de blanc vêtu vint m'ouvrir. Il avait des cheveux en brosse et portait une serviette-éponge autour du cou.

– Toi, tu dois être Geronimo ! Je suis *MUSCUL CHAMBOULSOURI*. Allonge-toi sur la table de massage…

Je m'allongeai, mais je n'étais pas du tout *relaxé*. *Par mille mimolettes,* essayez de rester calme en sachant qu'une espèce de semi-remorque en forme de souris s'apprête à vous raboter les os !!!

Muscul Chamboulsouri

MUSCUL, QUAND IL EST...

... heureux !

... triste !

... perplexe !

... euphorique !

... en colère !

... exaspéré !

... vexé !

... content !

... effrayé !

Muscul prit un flacon d'huile et s'en frotta les mains. Il se mit à me masser le dos.

– Mmm... je sens quelques POINTS CRITIQUES... Geronimo, tes muscles sont contractés ! Je dois appuyer avec le doigt !

– *Si tu dois vraiment...*

Ça me faisait un peu **MAL**, mais il faut reconnaître que je commençais à en ressentir les bienfaits !

– Mmm... il y a là un autre point **TRÈS** critique ! Je dois appuyer avec le coude...

– Le coude ?! Bon, *si tu dois vraiment...* Et il me planta le coude dans les côtes.

Au bout d'un moment, il me dit, perplexe :

– Mmm... ici, il y a un point **TRÈS TRÈS TRÈS** critique... mais celui-là, on va le traiter d'une autre manière.

– Comment ça, d'une autre manière ?
– Ne t'inquiète pas ! Reste relaxé…
Cependant, Muscul bondit sur la table de massage et me marcha dessus.
– Voilà… comme ça… on respire un bon coup…
Et **MUSCUL** me décocha un grand coup de talon dans le dos !
– Et voilà ! Alors, comment tu te sens ?

LE KARATÉ,
C'EST LE RESPECT
ET LA SINCÉRITÉ

Les entraînements continuaient, **TRÈS DURS !**
Maître *Yamasuri* était très exigeant avec
moi. Mais bientôt, avec l'aide de MINI TAO, je
commençai à voir les premiers
résultats.
Cependant, je me sentais
beaucoup plus en forme.
Mais surtout, ma capacité de
concentration avait
changé. Je découvris que le
karaté se pratique beau-
coup plus avec la tête
qu'avec les muscles. J'avais
même appris plein de *kata* (combats avec des
adversaires imaginaires).

Mini Tao m'avait appris bien des choses sur l'*esprit* et la *philosophie* du karaté.

– Tu vois, Geronimo, on imagine souvent que le karaté est un art **martial** violent. Mais ce n'est pas vrai. Au contraire, il t'inculque la maîtrise de soi, le respect de l'adversaire et la sincérité.

– *Respect ? Sincérité ?* Je ne comprends pas…

– Essaie de t'imaginer devant un adversaire. Quelle est la première chose que tu fais ?

– J'ai une *trouille féline* ! répondis-je.

Mini Tao éclata de rire.

– La première chose que tu fais, c'est le SALUT. Ce geste signifie : « JE TE RESPECTE EN TANT QU'ADVERSAIRE. CETTE RENCONTRE VA ME PERMETTRE DE M'AMÉLIORER ET TE RENDRA MEILLEUR, TOI AUSSI. » Chaque action, dans le karaté, suppose une *grande générosité.*

Mon amie poursuivit :

– Et puis, sur le **tatami**, on n'est que soi-même. Au karaté, on ne peut pas tricher : chacun apparaît tel qu'il est *vraiment*.

> ## *Le karaté, c'est la sincérité !*

Je réfléchis à ces paroles. Elles étaient très profondes. Je me dis que cet art (oui, parce que le karaté est bel et bien un *art*) me passionnait de plus en plus !

Mini Tao conclut :

– En réalité, tout ce que je te dis, nous le répétons quand nous nous saluons, à genoux, à la fin de chaque entraînement. Ça, Geronimo, c'est le... *dojo kun* !

DOJO KUN

Dojo signifie salle d'entraînement. À la fin de chaque leçon, pendant le salut à genoux, on récite le *dojo kun*, les « règles de vie » de chaque karatéka. Chaque pratiquant de karaté doit s'appliquer à les mettre en œuvre en toutes circonstances, aussi bien à l'intérieur qu'à l'extérieur du dojo !

COMMENT SALUER AU DOJO

Au karaté, il y a deux façons de saluer. La première s'effectue debout (au début et à la fin de chaque *kata* et de chaque combat contre un adversaire), et la seconde à genoux.

1) Pieds joints, mains le long des hanches. Regard droit.
2) Tête et buste inclinés en signe de salut. On dit : OSS !

HITOTSU, JINKAKU KANSEI NI TSUTOMURU KOTO

On prononce : *ITOTSOU, DJINECACOU CANSEÏ NI TSOUTOMOUROKOTO*

Essayer d'améliorer son caractère.

HITOTSU, MAKOTO NO MICHI O MAMORU KOTO

On prononce : *ITOTSOU, MACOTO NO MITCHI O MAMOROUKOTO*

Choisir la voie de la sincérité.

HITOTSU, DORYOKU NO SEISHIN O YASHINAU KOTO

On prononce : *ITOTSOU, DORIOCOU NO SEÏCHINE O IACHINAHOUKOTO*

Renforcer inlassablement son esprit.

HITOTSU, REIGI O OMONZURU KOTO

On prononce : *ITOTSOU, REÏGUI O OMONZOUROUKOTO*

Adopter un comportement irréprochable.

HITOTSU, KEKKI NO YU O IMASHIMURU KOTO

On prononce : *ITOTSOU, KEKI NO IOU O IMACHIMOUROUKOTO*

Éviter la violence par le contrôle de soi.

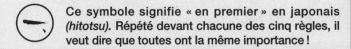

Ce symbole signifie « en premier » en japonais (*hitotsu*). Répété devant chacune des cinq règles, il veut dire que toutes ont la même importance !

JE VAIS VOUS AIDER !

Enfin, ce fut la veille de la compétition.

J'étais déjà très ému. Évidemment, j'avais fait de mon mieux. En peu de temps, j'avais appris plein de techniques. Et j'avais même mis au point une prise... **secrète** !

Après le dîner, Mini Tao frappa à la porte de ma chambre.

– Tiens, Geronimo, voici ton dossard. Tu dois l'attacher au dos de ta veste de KARATEGI. Je te conseille de le coudre : n'aie pas confiance dans les épingles !

Comment lui dire que je... que je... ne sais pas... COUDRE ! J'avais trop honte !

C'est alors qu'arrivèrent les autres karatékas de l'équipe de Sourisia.

Ils avaient tous à la main leur veste et leur numéro. Et ils affichaient tous la même expression embarrassée.

Mini Tao comprit tout de suite.

– O.K., les gars ! Laissez ici vos vestes et vos dossards. J'ai du fil et des aiguilles pour tout le monde. Je vais vous aider !

Puis elle appela ses deux camarades d'équipe (elles étaient comme des sœurs), Sourinette et Sourinelle, qui accoururent aussitôt avec d'autres renforts.

En un **CLIN D'ŒIL**, ma chambre se transforma en atelier de couture.

Non seulement nous terminâmes à toute vitesse, mais cette nombreuse compagnie m'aida à ne plus penser à mon émotion !

Eh, rongeur, qu'est-ce qui te ronge ?

J'allai me coucher et je parvins à m'endormir assez vite. Mais, à **3** heures du matin, je fus réveillé par d'incroyables CRAMPES d'estomac. Qu'est-ce qui m'arrivait ? Je commençai à me plaindre, si fort que Chacal se réveilla à son tour.

DRIINNNG !

– *EH, RONGEUR, QU'EST-CE QUI TE RONGE ?* C'est la compétition qui te rend nerveux ? Tu as peur d'être écrabouillé. Ah, ça, je te comprends. D'ailleurs, je n'aimerais pas être à ta place...

– Non, **ARGHHHH !** Ce n'est pas ça...

– Ah non ? J'ai compris : tu as peur de ne pas te souvenir des techniques et d'être disqualifié !

– Non, **ARGHHHH !** Ce n'est pas ça non plus !

– Ah non ? Mmm… J'ai compris ! Pourquoi tu ne l'as pas dit plus tôt ? Tu as **PEUR** de...

Chacal n'eut pas le temps de finir sa phrase que je m'étais enfermé dans les toilettes pour résoudre un petit problème... **technique** !

J'entendis Chacal qui s'approchait de la porte.

– Ça y est, j'ai compris ton problème, **Cancoyote** ! Ce sont les spaghettis aux moules ! Si ça se trouve, les moules étaient avariées ! Eh, Geronimo, tu as vraiment de la chance, parce que j'ai une solution pour toi. Attends-moi ici. Ou plutôt, là... assis ! **HA, HAA, HAAA !!!**

Sur la table, il y avait une énorme coupe pleine de Citrons.

– Bon, Cancoyote, si tu veux guérir, il faut que tu manges quelques citrons. Tu vas voir, ça ira mieux demain ! Chacal, c'est-à-dire ton P T C , s'occupe de tout !

CONSEIL

Quand on a des problèmes de dysenterie, il faut consulter un médecin. Mais il peut être utile de suivre un régime approprié, à base de riz à l'eau, de pommes de terre, de carottes crues. Et de quelques jus de citron !

Je suivis son conseil. Cependant, Chacal battait le rythme sur une chanson qui me tapait sur les nerfs :

« MANGE, MANGE DU CITRON
ET PLUS BESOIN DE TIRER
LA CHASSE D'EAU, NON, NON, NON !
MANGE, MANGE ET TERMINÉ !
AVEC LA CONSTIPATION,
TU POURRAS BIEN ROUPILLER ! »

Je mangeai les citrons. Qu'est-ce qu'ils étaient acides !

En tout cas, il semblait que ça marchait et je pus retourner me coucher. Mais le lendemain matin, je me réveillai avec la bouche toute sèche !

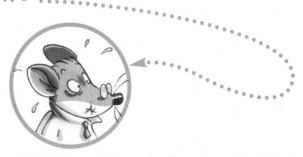

OU BIEN TU BOUGES TOUT SEUL, OU BIEN…

Au petit déjeuner, je ne pus rien avaler.
Mini Tao, Sourinette et Sourinelle prirent un repas **copieux**. Mais comment faisaient-elles ?
J'avais l'estomac complètement **fermé**. Était-ce parce que j'étais inquiet ? Ou avais-je mangé trop de… *citrons* ?

Le petit déjeuner de l'athlète

Deux heures avant un entraînement ou une compétition, il est bon de prendre un repas copieux et riche en glucides (qui, pour nous, sont un véritable carburant !). La place d'honneur revient aux biscuits, aux biscottes, aux céréales. On peut aussi manger de la brioche, à condition de ne pas exagérer : c'est riche en graisses ! Comme boisson, on a le choix entre un bol de lait, une tasse de thé ou un jus de fruit.

C'est alors que Chacal s'approcha et me donna une tape sur le dos qui faillit me faire tomber.

– Hé, Geronimo ! Mais tu sais que tu as une mine **atroce** ! Ça doit être la « séance » de cette nuit, non ? *HA, HAA, HAAA !!!*

– Chuuut, Chacal ! S'il te plaît, parle moins fort !

– MAIS IL N'Y A PAS DE QUOI AVOIR HONTE, Cancoyote ! Tu sais, ça arrive à tout le monde de fréquenter avec assiduité... les toilettes !

Toute l'équipe éclata de rire. Même maître *Yamasuri* (c'était la première fois que je le voyais rire) !

Quelle honte !

À **7** heures pile, l'autocar vint nous chercher. Après une demi-heure de route, nous arrivâmes au **Palais des sports** de Port-Souris.

Nous allâmes nous changer dans les vestiaires.

Mais j'avais les jambes qui **TREMBLAIENT**, mon cœur battait la chamade, j'avais la bouche sèche et les pattes en SUEUR.

Pour couronner le tout, j'avais des cernes gonflés comme des oreillers !

Par mille mimolettes, mais qu'est-ce qui m'arrivait ?!

Soudain, j'étais devenu incapable de faire un pas : j'étais RAIDE comme une statue !

J'avais une attaque de… TROUILLE !

Mini Tao s'approcha.

– Allez, bouge-toi, Geronimo ! On doit entrer !

Je ne répondis pas.

– Geronimo, tu m'entends ? Bouge tes pattes !

Je *continuais* à ne pas répondre. J'avais le regard fixe d'un **MERLAN**…

– Geronimo, je te le dis pour la dernière fois : ou bien tu bouges tout seul, ou bien…

Mais elle ne finit pas sa phrase. Elle prit son élan, me sauta au cou et…

Picccc !!!

Elle me fit son terrible PINCEMENT !

Évidemment, la méthode était un peu trop énergique, mais Mini Tao parvint à me faire bouger !

Picccc !!!

LE *KOKORO* !

Les gradins étaient bondés.

L'atmosphère était déjà ÉLECTRIQUE.

Des athlètes de toutes les nationalités étaient en train de S'ÉCHAUFFER : tous les endroits étaient bons pour s'entraîner.

Mini Tao s'approcha de moi. Je fis un BOND EN ARRIÈRE, prêt à esquiver son pincement.

– Calme-toi, Geronimo ! Tu es très nerveux…

Je répondis, d'une voix qui tremblait :

– Évidemment ! J'ai peur d'avoir mal !

COUP DE PIED LATÉRAL

– Geronimo, es-tu sûr qu'il n'y a rien d'autre ?
Tu n'as vraiment peur que de cela ?
Bizarre ! Je n'y avais pas bien réfléchi, mais,
en effet, il y avait autre chose.

J'avais peur de perdre !

Et de décevoir Mini Tao, maître
Yamasuri et toute l'équipe !
Il y avait trop de gens qui comp-
taient sur moi et je me sentais
ÉCRASÉ par une trop grande
responsabilité.

ASSOUPLISSEMENTS

TECHNIQUE DE POING

Voilà ce qui me bloquait (outre la peur de devoir subir une intervention de chirurgie esthétique au visage dès mon retour à Sourisia) !

Je regardai Mini Tao et avouai :

– Tu as raison, Mini Tao. Je crois que j'ai peur de vous décevoir, tous…

Elle sourit et m'embrassa.

– Geronimo, il est normal que tu sois aussi **ému** : c'est ta première compétition ! Et c'est un championnat du MONDE ! Mais tu dois aussi essayer d'être le plus calme possible. *Essaie de dominer tes émotions !* Essaie de visualiser la compétition, le **tatami**, les lumières, le public, ce que tu éprouveras au fond de toi quand tu découvriras tes adversaires. Ainsi, quand tu te lanceras, tu n'auras plus aucune **surprise**, parce que tu auras d'abord imaginé ce qui va se passer.

MINI TAO

Je me dis que c'était un conseil très **sage** et que j'allais le suivre.

KOKORO (CŒUR)

– Enfin, Geronimo, souviens-toi que le plus important est de combattre toujours avec le *cœur*. Le *kokoro*, comme on dit en japonais ! conclut Mini Tao.

– *Kokoro* ? Quel joli mot…

Mini Tao reprit :

– Si tu fais tout avec le cœur, avec *courage* et *sincérité*, tout se passera bien. Le secret, c'est de toujours faire de son *mieux* : c'est comme ça que tu affronteras chaque épreuve avec *confiance* ! Comme dit un très beau dicton japonais :

> *Le karaté, ce n'est pas gagner, mais c'est l'idée de ne pas perdre !*

Je remerciai MINI TAO. Je me sentais déjà beaucoup mieux ! Et même beaucoup plus sûr de moi ! Ces paroles si profondes m'avaient rempli de *courage*.

À présent, j'allais chercher à visualiser la compétition, et puis…

mon kokoro !... Et puis je me concentrerais sur mon cœur,

QUE GERONIMO STILTON SE PRÉPARE !

Après la cérémonie d'ouverture, au cours de laquelle tous les athlètes défilèrent derrière les drapeaux de leur pays, la compétition commença.

Un haut-parleur annonça :

– *QUE GERONIMO STILTON SE PRÉPARE SUR LE TATAMI !*

Mini Tao s'approcha et me dit :

– C'est à toi, Geronimo. Souviens-toi : concentre-toi sur ton cœur, le *kokoro* !

J'embrassai mon amie et m'approchai du **tatami**. Mais en chemin, je me coinçai un orteil entre deux matelas !

– *GERONIMO STILTON, DEUXIÈME APPEL !*

Comment faire ? Je tirais dans tous les sens, mais mon ongle s'était accroché dans le plastique des matelas.

J'entendis MINI TAO hurler :

– Geronimo, bouge-toi ! Au troisième appel, tu seras éliminé !

Je tirais, poussais, me démenais, me débattais… RIEN !

– GERONIMO STILTON, TROISIÈME ET DERNIER APPEL !

J'allais me mettre à pleurer : allais-je perdre le championnat à cause… d'un pouce coincé ?! Mais au moment même où j'avais perdu tout espoir…

PLOP !

je parvins à me libérer et pus me rendre sur le **tatami**.

ALLEZ, CANCOYOTE !!!

SURISHI SGRUNZ

Je montai sur le **tatami**.

Un silence de mort tomba sur l'assistance.

Mon adversaire s'avança de l'autre côté : Surishi Sgrunz. Un rongeur *car-ré-ment* athlétique !

Je ne me sentais pas bien...

Puis je pensai aux paroles de Mini Tao.

Le silence régnait toujours.

C'était un moment *très très très émouvant*.

Mais, à un moment donné...

POUÊÊPOUÊÊÊPOUÊ ÊÊÊÊÊ !!!!!

Je vis Chacal, sur les gradins, qui actionnait une corne de brume !

– ALLEZ, CANCOYOTE ! MONTRE-LEUR QUI TU ES ! ALLEZ ! TU ES GRAND ! TU ES GRAND !! TU ES GRAND !!!

Il avait aussi déployé une banderole :

ALLEZ CANCOYOTE !!!

Quelle honte !

Voilà ce que c'est que d'avoir un ami comme *CHACAL*...

L'arbitre s'avança.

– Excusez-moi, vous vous appelez *Geronimo Stilton* ou *Cancoyote* ? Parce que, pour nous, c'est un certain Geronimo Stilton qui doit combattre. Mais il semblerait que ce ne soit *pas vous* ! ajoute-t-il en désignant Chacal et la banderole.

– Mon nom est Stilton, *Geronimo Stilton* ! Et je suis prêt à combattre ! dis-je du ton le plus **ferme** que je pus prendre.

L'arbitre s'éloigna (peu convaincu) et alla se concerter avec les autres juges.

TOUS LES MEMBRES DU JURY ME REGARDAIENT D'UN AIR SOUPÇONNEUX !

Mais, enfin, **MON COMBAT** débuta !

Iaïïïï !!!

Le public se mit à battre des pattes et à piétiner pour nous encourager.

Le vacarme était tel qu'on aurait dit qu'il allait faire écrouler le **Palais des sports** !

Cependant, Sgrunz et moi, nous commençâmes à nous étudier. Chacun cherchait à comprendre quelle sorte d'adversaire il devait affronter. Puis, sans crier gare, Sgrunz lança une fulgurante attaque combinée : *poing, pied, poing, poing !*

Je vis cette énorme **MASSE** de muscles qui allait s'abattre sur moi.

Pour moi, il n'était plus question de tactique, mais de... *FUIIITE !!!*

Je me mis à courir en rond autour du **tatami**, pour échapper à Sgrunz.

– HOP ! HOP ! HOP !

Sgrunz commençait à s'énerver. Je voyais de la vapeur sortir de ses naseaux... pire que si ç'avait été un taureau furieux !

Il essaya de me frapper avec une autre attaque combinée : *coup de pied latéral, poing !*

Mais je fus plus rapide que lui et parvins à l'esquiver ! Hé hé ! Sgrunz était **GRAND** et gros, mais il était beaucoup, beaucoup plus lent que moi !

... PRIS MON ÉLAN...

Mais, soudain, je me souvins de la prise secrète que j'avais apprise. Le moment était venu de m'en servir !

JE ME CONCENTRAI...

4

IAÏÏÏ !!!

Je me concentrai, pris mon élan et bondis pour faire un puissant *coup de pied volant-tournant-envelop-pant-fouetté-étourdissant*,

... POUR FAIRE UN COUP DE PIED VOLANT...

une ancienne et secrète technique que m'avait enseignée maître *Yamasuri*.

Et pour me donner plus de force et de courage, je hurlai avec tout le souffle que j'avais dans le corps :

3

... BONDIS EN L'AIR...

IAAAÏÏÏ !!! *

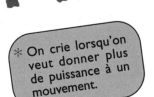

* On crie lorsqu'on veut donner plus de puissance à un mouvement.

C'est alors qu'une explosion de **FLASHS** déferla dans le Palais des sports et m'aveugla. Je perdis l'équilibre et fis un saut mortel en arrière. J'effectuai un vol plané et atterris sur Sgrunz, que je renversai.

Il y eut un instant de silence, puis le public applaudit à tout rompre !

... JE PERDIS L'ÉQUILIBRE !

Je me relevai, un peu confus, en me massant la queue. *Scouitt !* Quel coup ! Mais Sgrunz était K.-O.

Je m'empressai de le secourir :

– Ça va bien, Sgrunz ? Tu t'es fait mal ? Excuse-moi, je ne l'ai pas fait exprès... Les flashs m'ont fait perdre l'équilibre !

Sgrunz me regarda et dit :

– Mais tu... es... es... **TRÈS FORT** ! Je n'ai jamais vu un coup pareil ! Je suis honoré d'avoir perdu face à un athlète de si haut niveau et d'une telle expérience !

Le haut-parleur annonça :

– *C'EST GERONIMO STILTON QUI REMPORTE LE CHAMPIONNAT DU MONDE !*

Comment ça, le Championnat du monde ?!?

Mini Tao et maître *Yamasuri* accoururent vers moi, en écartant les bras.

– Geronimooo !!! **TU AS GAGNÉ !!!** Tu es un phénomène !

– J'ai gagné ? Mais comment est-ce possible ? demandai-je, incrédule.

MINI TAO m'expliqua :

– Mais tu n'as pas entendu, tout à l'heure ? L'athlète péruvien a déclaré forfait à la suite d'une DÉCHIRURE musculaire, l'AMÉRICAIN s'est déboîté le genou, le Chinois a glissé dans les vestiaires, il s'est cogné la tête et a perdu la mémoire (le pauvre,

il ne se rappelle plus un seul mouvement de karaté)… Bref, il ne restait plus que Sgrunz, et toi, et tu l'as… **BATTU** !!!

J'embrassai MINI TAO. Le public continuait d'applaudir, Chacal gesticulait dans les tribunes et je le saluai, ÉMU.

Je n'arrivais pas à y croire… J'étais… devenu…

SALUT, CHACAL !

HOURRA !

... CHAMPION DU MONDE !!!

MILLE QUEUES SE DRESSENT ARDEMMENT...

Les compétitions se poursuivirent. Nombreux furent les athlètes de Sourisia qui montèrent sur le podium.

Inutile de dire que Mini Tao, Sourinette et Sourinelle confirmèrent encore une fois leurs titres de championnes du monde ! Enfin se déroula la cérémonie de remise des médailles.

Le podium était très haut et illuminé.

Nous, les athlètes, nous nous mîmes les uns derrière les autres. Je serrai la patte de Sgrunz, qui s'était remis de ses émotions.

Le haut-parleur annonça :

– À LA TROISIÈME PLACE, CHONLIN CHONG, PHILIPPINES !

Chonlin monta sur la troisième marche du podium.

– *À LA DEUXIÈME PLACE, SURISHI SGRUNZ, JAPON !*

Sgrunz monta sur la deuxième marche du podium.

– *À LA PREMIÈRE PLACE, CHAMPION DU MONDE... GERONIMO STILTON, ÎLE DES SOURIS !*

Tout ému, je montai sur la plus haute marche du podium. Le public nous applaudissait et criait nos noms. Les photographes nous mitraillaient et des milliers de FLASHS crépitaient !

FLASH !

FLASH !

J'étais tourné vers les gradins quand je vis... MAIS OUI ! c'était vraiment ma *famille* ! Ma sœur Téa, mon cousin Traquenard et mon neveu adoré, Benjamin, qui gesticulaient pour me saluer !

Quelle merveilleuse surprise !

Après la remise des médailles, il y eut un instant de silence, puis on joua l'**HYMNE DE SOURISIA !** *Que d'émotions !*

J'étais vraiment très fier de représenter mon pays, l'île des Souris !

Quand l'hymne se termina, je levais les bras pour saluer tous ceux qui m'avaient soutenu.

HYMNE DE SOURISIA

Mille queues se dressent ardemment
Mille voix chicotent bravement
Mille moustaches vibrent au vent
Mille pattes brandissent fièrement
Ton drapeau jaune, ton drapeau blond,
Sous le pelage de mille souris,
Mille cœurs battent à l'unisson,
Pour toi, Sourisia, île chérie...

Et tout d'abord **MINI TAO**, qui, de loin, me fit O.K. de la patte.

Quand je descendis du podium, mon neveu Benjamin me sauta au cou.

– Tonton, mon petit tonton ! Tu as été GÉNIAL ! Je savais que tu gagnerais ! Tu es content qu'on soit venu te voir ? C'est tante Téa qui a tout organisé !

Ma sœur me fit un clin d'œil. Et Traquenard me donna une tape sur l'épaule.

– Je dois reconnaître, cousin, que tu t'es vrai-

ment bien comporté ! Ce coup de pied volant a été un coup de **maître** ! Je ne te savais pas aussi... athlétique ! Que d'émotions !

TÉA

TRAQUENARD

BENJAMIN

Ma *famille* était là, fière de moi et de ce que j'avais fait ! Tout était encore plus beau et ma victoire me semblait encore plus douce !

Il est si bon de pouvoir partager sa joie avec ceux qui nous aiment ! Je suis vraiment un *rongeur chanceux* !

En cet instant, rien n'aurait pu troubler ma *joie* !

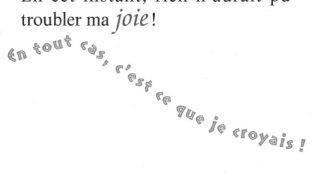

En tout cas, c'est ce que je croyais !

STILTON, SUIVEZ-NOUS !

C'est alors que deux officiels s'approchèrent de moi.

– Stilton, suivez-nous !

Je les regardai, perplexe, et demandai :

– *Où ? Quand ? Pourquoi ?*

– À l'infirmerie. Tout de suite. Parce que vous devez subir le contrôle antidopage*, dirent les officiels.

– Mais… mais… pourquoi moi ?!? protestai-je.

– Parce que vous avez gagné ! répondirent-ils en chœur.

Je les suivis à l'infirmerie. J'étais plutôt **INQUIET**…

Un infirmier à l'air un peu **SADIQUE** me tendit un flacon de plastique à bouchon hermétique.

---

* En général, le contrôle antidopage est effectué à l'issue d'une compétition. On contrôle si un athlète a fait usage de substances interdites par le règlement pour améliorer de manière déloyale ses performances physiques.

Je le regardai et demandai :
– Qu'est-ce que je dois faire avec ça ?
Il répondit avec un sourire un peu **SADIQUE** :
– Vous devez faire pipi là-dedans ! Nous devons contrôler si vous avez *triché* !
Puis il poursuivit en baissant la voix :
– Dites-moi, dites-moi, vous avez triché ? Allez, vous pouvez bien me le dire, à moi… Comme ça, on évitera la honte… Dites-moi si vous avez triché et on en restera là !

J'étais indigné !

– **JE N'AI PAS TRICHÉ !** Vous pouvez me faire tous les examens que vous voulez. Vous voulez que je fasse pipi là-dedans... eh bien... **JE VAIS LE FAIRE !**

Je me dirigeai vers la porte des toilettes, quand j'entendis derrière moi la voix un peu **SADIQUE** de l'infirmier :

– Stilton, où allez-vous comme ça, tout seul ? Vous ne pouvez aller aux toilettes qu'accompagné d'un officiel ! Il faut qu'on vous contrôle *en train* de faire pipi !

– QUOIQUOIQUOI ?! Je dois faire pipi devant un officiel ? Mais, moi, je suis un gars, *ou plutôt un rat,* timide et réservé... Je n'y arriverai jamais !!! répondis-je, désespéré.

L'infirmier me regarda d'un air **SADIQUE** et dit :

– Ah ! Je le savais bien, que vous aviez quelque chose à *cacher* !

VOUS ÊTES ÉLIMINÉ !!!

C'était mon honnêteté et celle de toute l'équipe qui était en cause ! **IL FALLAIT QUE JE ME FORCE !**

Je pris le flacon et me dirigeai vers les toilettes, suivi par un officiel.

J'essayai, je réessayai… Rien ! *Scouiiiiitt !!!*

L'officiel commençait à me regarder d'un air soupçonneux.

Je demandai à l'infirmier :

– Euh… je ne pourrais pas avoir un peu d'eau ? Vous savez… ça m'aiderait…

Je me mis à boire, à boire, à boire… Rien !

On m'apporta encore de l'eau… Rien !

Alors l'infirmier s'approcha de moi et me dit :
– Bon, Stilton, inutile de nier ! Si vous ne voulez pas faire pipi, c'est que vous avez *quelque chose à cacher* ! Arrêtez de nous faire perdre du temps (et de l'eau) et **A-VOU-EZ** !
– *JAMAIS ! JE N'AI RIEN DU TOUT À CACHER !* hurlai-je indigné.
J'essayai de me concentrer, et au bout d'un moment, enfin, je me précipitai aux toilettes et… je réussis !!!
Tout content, je remis mon flacon à l'infirmier.
Il me jeta un regard méfiant et commença à faire les analyses.

Cependant, un autre athlète était entré. Je le reconnus tout de suite : c'était **Troncaï Ratov**, le karatéka le plus **gros** et le plus musclé ! Il avait l'air très **INQUIET**.

Lui aussi, il dut subir l'examen.

Enfin, ce fut le tour de **MINI TAO**. Elle alla aux toilettes avec une officielle et ressortit bientôt avec son flacon.

Au bout d'un quart d'heure environ, l'infirmier nous communiqua les résultats.

TRONCAÏ RATOV

– Stilton… *pour cette fois*, rien à redire ! Tu peux y aller ! dit-il d'un air un peu *SADIQUE*.

J'avais beau savoir que j'étais un gars, *ou plutôt un rat*, honnête, j'étais franchement soulagé !

L'infirmier poursuivit :
– Mini Tao... tout est normal. Quant à Troncaï... ton contrôle antidopage est positif. Tu es *ÉLIMINÉ* !
Troncaï se mit à pleurer sur mon épaule.

– **BOUH !** C'est mon entraîneur qui m'a donné des médicaments pour que je sois plus fort ! SNIFF... SNIFF... Mais je ne voulais pas, moi ! Il disait que c'était ma seule chance de gagner !
Mini Tao s'approcha de Troncaï et lui dit :
– Ton entraîneur s'est **trompé** ! Il ne sert à rien de prendre ces produits ! C'est illégal et très dangereux pour la santé ! C'est contraire au **véritable esprit** du sport ! Même si tu avais gagné le Championnat... quelle

satisfaction en aurais-tu retiré ? Troncaï, quand on triche, on ne gagne pas !

Troncaï sécha ses larmes et dit :

– Tu as raison ! J'ai été un nigaud ! Je promets que je ne le ferai plus, par respect pour moi-même et envers le véritable esprit du sport ! Merci, mes amis !

Mini Tao et moi embrassâmes Troncaï et sortîmes ensemble de l'infirmerie. Mais je vis CHACAL qui venait à ma rencontre ! ARGGGH !!! Qu'allait-il bien pouvoir inventer encore pour me faire honte ?

J'étais déjà prêt à entendre l'une de ses petites phrases, quand… il m'embrassa !

– Bravo, Cancoyote ! Je suis vraiment fier de toi ! TU ES UN MYTHE VIVANT !

Que voulez-vous… Chacal est comme ça !

Et c'est pour cela que c'est un grand ami !

RETROUVE LA BONNE ÉNERGIE !

Souvent, au printemps, on ne se sent pas en forme. On a du mal à se concentrer à l'école, on se fatigue vite, on a toujours envie de dormir… Si cela t'arrive, à toi aussi, parles-en à ta maman et à ton papa, et va voir un médecin. Il saura sûrement te donner de bons conseils ! Mais sais-tu que dans la nature il existe des compléments énergétiques ?

Ginseng (*Panax ginseng*) : plante d'Asie orientale. Ses racines donnent des substances toniques riches en vitamines. Il existe aussi un ginseng sibérien ou éleuthérocoque (*Eleutherococcus senticosus*), qui aide le système immunitaire, prévient les maladies et agit en cas de fatigue.

 **Cire royale** : sécrétion blanchâtre produite par les abeilles ouvrières pour nourrir les reines. Elle contient de nombreux sucres, des vitamines et des protéines. C'est un excellent reconstituant pour l'organisme.

Myrtille (*Vaccinium myrtillus*) : arbuste commun dans les forêts d'Europe. Ses baies bleues donnent un extrait riche en vitamines A, excellent pour la fragilité capillaire des yeux.

SAYONARA !
(« AU REVOIR ! »)

Le soir, il y eut une merveilleuse fête d'adieu : la SAYONARA PARTY. Tous les athlètes étaient là, ainsi que Chacal et ma *famille* !
Ce fut vraiment très beau !
Nous parlions tous une langue différente, mais nous nous comprenions très bien quand même !
Je l'avais toujours su, mais j'en avais à présent la confirmation :

LE SPORT UNIT LES GENS !

À la fin, nous nous saluâmes, émus, en nous donnant rendez-vous pour l'année prochaine !

GERONIMO, J'AI UNE PROPOSITION INTÉRESSANTE...

Le lendemain, nous rentrâmes en avion à Sourisia. Quand nous atterrîmes à l'aéroport, nous trouvâmes une fanfare qui était venue nous accueillir, ainsi que le maire de Sourisia, **Honoré Souraton** ! Je saluai toute l'équipe, maître *Yamasuri*, **CHACAL** et Mini Tao...

Le lendemain matin, j'arrivai tout pimpant à *l'Écho du rongeur*. Quand j'entrai, avec la médaille au cou, j'eus une surprise : tous mes collaborateurs étaient là pour m'applaudir ! Et il y avait aussi MINI TAO ! Pour l'occasion, elle avait emmené son petit, Baby Tao, une souris très spéciale, qui promettait de devenir un super champion !

Après les réjouissances, Mini Tao s'approcha de moi et me dit :

– Geronimo, j'ai une proposition intéressante à te faire…

DESTINATION : OKINAWA !

Voulez-vous savoir comment ça s'est terminé ?

Mini Tao m'a demandé de partir avec elle et Chacal. Destination : OKINAWA, au Japon. Oui, rien que ça ! L'île où est né le **karaté**. Je m'étais tellement pris de passion pour cet ancien art martial... que j'acceptai !

Vous le savez, je n'aime pas les voyages. Mais en cette occasion, j'étais tellement ému que je ne m'aperçus même pas des heures que je passai dans l'avion !

MINI TAO me raconta plein d'épisodes de son enfance, les

MINI TAO
à 8 ans

circonstances dans lesquelles elle avait commencé le **karaté**, comment cela lui avait été utile à différents moments de sa vie…

Grâce au karaté, elle était devenue une petite souris déterminée et avait réussi à atteindre une foule d'◇BJECTIFS.

Tout en l'écoutant, je me disais que cet art martial m'avait fait du bien, à moi aussi, parce que j'avais réussi à vaincre toutes mes **PEURS** et ma timidité !

Grâce à cette nouvelle expérience, j'avais appris que *n'importe qui, s'il le veut, peut faire n'importe quoi !* Il suffit de s'appliquer et d'avoir *beaucoup, beaucoup de volonté.*

MINI TAO
le jour de son diplôme

MINI TAO
championne du monde

LES PHOTOS DE NOTRE VOYAGE

GERONIMO EN COSTUME DE SAMOURAÏ !

GERONIMO AVEC UNE CRAMPE AU PIED !

GERONIMO APPREND LA CALLIGRAPHIE JAPONAISE

DOJO JAPONAIS

CHACAL, MINI TAO ET GERONIMO EN KIMONO

LA CÉRÉMONIE DU THÉ !

Quand nous arrivâmes sur l'île d'OKINAWA, une grande aventure nous attendait : découvrir les origines du karaté et la culture ORIENTALE japonaise !

Que d'émotions ! Serais-je à la hauteur ? Serais-je capable d'apprendre les anciennes règles des SAMOURAÏS ? Allez savoir...

Mais ça, chers amis rongeurs, c'est une autre histoire, que je vous raconterai dans un prochain livre.

Parole de Stilton, de Geronimo Stilton !